যে হং … াড়ত

The G… laid the Golden Egg

Bengali translation
Raihana Mahbub

এক সময় গভীর জঙ্গলের ভিতর এক শিকারী বাস করত। বউ মারা যাওয়ার পর তার অভাব ছিল খুবই কম। যা পাওয়া যেত তাই সে রান্না করত - খরগোশ, ইঁদুর আর বিশেষ দিনে ভাগ্য ভাল থাকলে, এমন কি শিকার করা পাখীও। যখন কোন কিছু ধরতে পারত না তখন তরকারীর স্যুপ খেত।
একদিন শিকারী তার কুঁড়ে ঘরের বাইরে একটি হংসী ঘুরে বেড়াতে দেখল। সে হংসীটিকে এদিকে সেদিকে তাড়া করল যতক্ষণ না সে তাকে ধরতে পারল।
শিকারী হংসীটাকে পেঁচিয়ে ধরে ঘরের মধ্যে ঢুকিয়ে রাখল ও তারপর রান্নার বইতে উপযুক্ত রান্নার প্রণালী খুঁজে দেখতে লাগল।
কিন্তু দৌড়াদৌড়ি করায় সে কান্ত হয়ে পড়ে এবং শীঘ্রই গভীর ঘুমে ঢলে পড়ে।

Once, there was a huntsman who lived deep in a forest. He was a widower and his needs were few. He would cook whatever he found – a hare, a mouse and on special days, if he was very lucky, even a pheasant. When he didn't catch anything, he had vegetable soup.
One day the huntsman found a goose wandering around outside his cottage. He chased the goose, here and there, until he finally caught her.
The huntsman bundled the goose into a room and then searched through his cookbook for a suitable recipe.
But all the running around had made him tired and he soon fell fast asleep.

পরের দিন সকালে তার ঘুম ভাঙ্গামাত্র সে তাড়াহুড়া করে পাশের ঘরে ছুটে যায়। সে হংসীটি দেখতে পেল, নিজের মনে মৃদু গান গাইছে। আর তার পাশেই পড়ে আছে একটি বড় চক্‌চকে ডিমের মত জিনিস!

Early the next morning, the huntsman woke up and rushed into the other room. There he found the goose, quietly singing to herself. And next to her was a large, glittering egg-shaped thing!

শিকারী এটা হাতে তুলে নেয়। এটা বেশ ভারী
আর সাধারণ ডিমের মত বোধ হল না। সে
জিনিসটা ঝাঁকিয়ে দেখল, কিন্তু কোন শব্দ হল
না। সে অবশ্যই তা খেতে পারল না কারণ
কোনভাবেই ওটার উজ্জ্বল শক্ত খোসা ফাটাতে
পারল না। কি করবে সে কিছুতেই ভেবে পেল না!

The huntsman picked it up. It was very heavy and did not feel
like an ordinary egg. He shook it, but it didn't make a sound.
He certainly couldn't eat it as there was no way he could crack
the shiny hard shell. He just didn't know what to do!

ঐ দিন বিকালে শিকারী শহরে গেল তার বন্ধুর সাহায্য চাইতে । তার বন্ধু ডিম আকারের জিনিসটা ধাক্কা দিয়ে ও খোঁচা দিয়ে দেখল । "এটা - এটা খাঁটি সোনার তৈরী ।" সে আশ্চর্য হয়ে চীৎকার দিয়ে উঠল ।
সুতরাং দুই বন্ধু এটাকে স্বর্ণকারের কাছে নিয়ে গেল । সে তো সোনার ডিম দেখে অবাক হয়ে গেল! এর জন্য সে শিকারীকে অনেক টাকা দিল ।
খুশী মনে দুই বন্ধু চলে গেল । তারা টাকা গুণে দেখল তারপর একটা স্থানীয় সরাইখানায় খাওয়া-দাওয়া করল ।

That afternoon, the huntsman journeyed to the town to ask his friend for help. His friend poked and prodded the egg-shaped thing. "It's – it's made of solid gold!" he cried in amazement.
So the two friends carried it to the jeweller who was astonished to see a golden egg!
She gave the huntsman a lot of money for it.
The friends went away, very happy. They counted out the money and then they had a feast at the local inn.

এখন শিকারী প্রত্যেক দিন সকালেই যে ঘরে হংসী রেখেছে সেখানে ছুটে যায়। আর প্রতিদিন সে হংসীটিকে আপনমনে মৃদু স্বরে গান গাইতে দেখে আর দেখে একটি বড় সোনার ডিম!
স্বর্ণকারের কাছে ডিম বিক্রী করে সে ধনী হয়ে গেল আর স্বর্ণকারও হল অর্থশালী।
শিকারী নিজের জন্য একটি বড় আরামদায়ক বিছানা কিনল। সে ভাড়ার রাখার একটা বড় আলমারী কিনল আর তা অনেক সুস্বাদু খাবার দিয়ে ভর্তি করল। সে একটি বেহালা কিনল কারণ তার হাতে এখন প্রচুর সময়। তাকে আর শিকারের জন্য বাইরে যেতে হয় না।

Now each morning the huntsman rushed to the room where he kept the goose. And every morning he found the goose singing quietly to herself – and a large golden egg!
He became rich selling the eggs to the jeweller who also became wealthy!
The huntsman treated himself to a large comfortable bed. He got a bigger larder which he stocked with lots of delicious food. He also bought a violin, as he had lots of time on his hands, and he didn't need to go hunting any more.

কিন্তু আরো অনেকের মত শিকারীও খুশী
হল না তার যা আছে তাই নিয়ে। সে লোভী
হয়ে পড়ল এবং আরো আরো জিনিসের
অভাব বোধ করল। সে অধৈর্য্য হয়ে পড়ল
এবং প্রতিদিন শুধু একটা ডিম পেয়ে খুশী
থাকতে পারল না। সে একবারেই সব ডিম
পেতে চাইল!! কাজেই শিকারী একটা বুদ্ধি
বের করল। সে হংসীটাকে রান্নাঘরে নিয়ে
গেল একসঙ্গে গান করার জন্য।
হংসীও খুশী হল!
কিন্তু যেইমাত্র সে তার
মুখ খুললো ...

But, like many people, the huntsman wasn't happy with
what he had. He became greedy, and wanted more and
more things.
He became impatient, and didn't want just one egg a day
– he wanted them all in one go!!
So the huntsman thought of a plan. He invited the goose
into his kitchen to sing a song together.
The goose was delighted!
But as soon as she opened her mouth ...

ঘচ্!
শিকারী হংসীটাকে মেরে ফেল।
সে তাড়াতাড়ি ওটাকে কেটে খুলে ফেল, আশা করেছিল অনেকগুলো সোনার ডিম পাবে। কিন্তু পেটের ভিতর কিছুই, কিছুই খুঁজে পেল না - ওটার নাড়িভুঁড়ি ছাড়া। কোন সোনার ডিমই ছিল না!
শিকারী বসে পড়ল আর ফুঁপিয়ে কাঁদতে শুরু করল: "হায় কেন আমি হংসীটাকে মেরে ফেললাম যে সোনার ডিম পাড়ত?"

CHOP!
The huntsman killed the goose.
He quickly cut her open, expecting to find many more golden eggs.
But when he looked inside he found nothing, nothing but – her insides!
There were no golden eggs!
The huntsman sat down and wept, "Oh why have I killed the goose that laid the golden eggs?"

Feelings

In *The Goose that Laid the Golden Egg*, the characters go through many different emotions as the story progresses. Think back to what happened in the story – can you work out which pictures below represent which emotion? Why not try retelling the story from the perspective of each character, using the thoughts and feelings that particular character might be experiencing.

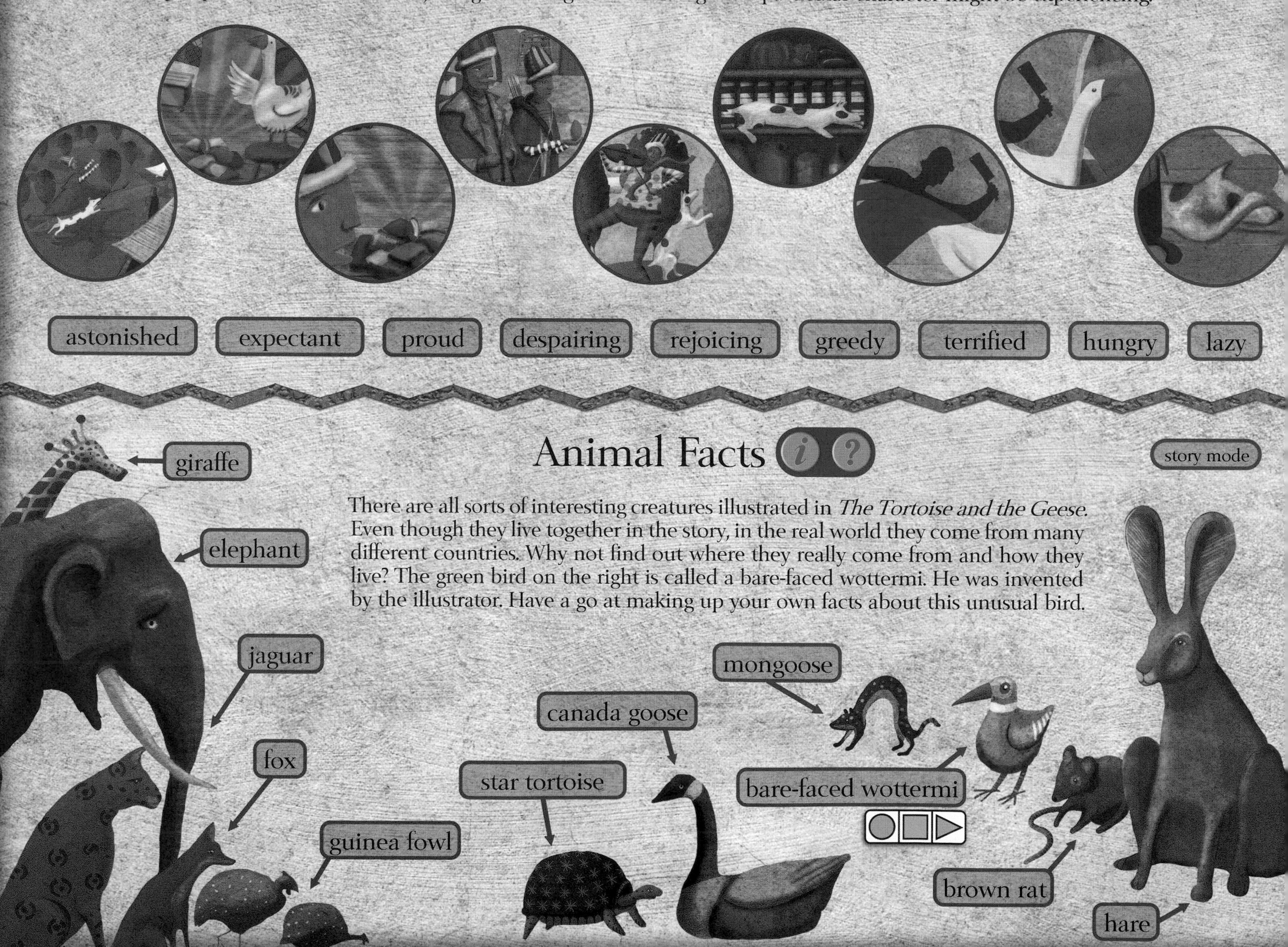

Animal Facts

There are all sorts of interesting creatures illustrated in *The Tortoise and the Geese*. Even though they live together in the story, in the real world they come from many different countries. Why not find out where they really come from and how they live? The green bird on the right is called a bare-faced wottermi. He was invented by the illustrator. Have a go at making up your own facts about this unusual bird.

কচ্ছপ ও হাঁস

The Tortoise and the Geese

বহু বছর আগে একটি পুকুরের পাড়ে এক কচ্ছপ বাস করত। বট গাছের ছায়ায় প্রতিদিন সকালে তাকে দেখা যেত দীর্ঘ সময় ধরে খাপছাড়া গল্প করতে, অধিকাংশ কথাই ছিল তার নিজের সম্বন্ধে।
কচ্ছপটির কখনই অন্য প্রাণীদের কথা শোনার সময় হত না। কাজেই শীঘ্রই তারা তাকে এড়িয়ে চলতে শুরু করল। এত করেও কচ্ছপের কথা বন্ধ হল না। প্রতিদিনই সে বসে বসে গল্প বলত আর মজা করত কাল্পনিক জনসমাবেশে।
অন্য প্রাণীরা দেখে বলাবলি করত “আহা বেচারা! সে পাগল হয়েছে!”

For as long as anyone could remember, the tortoise had lived by the pond. Every morning he could be found in the shade of the willow tree, telling long rambling stories, mostly about himself.
The tortoise never had any time to listen to the other animals and they soon began to avoid him. This didn't stop the tortoise from talking. Every day he would sit telling stories and jokes to an imaginary crowd.
The other animals saw this and said, “Poor thing! He's quite mad!”

ঐ শরৎকালে এক জোড়া হাঁস এসে পুকুরে নামল আর তারা
কচ্ছপটাকে একা একা কথা বলতে দেখল। "ওহে দাদু!" তারা
একসঙ্গে চেঁচিয়ে উঠল। কচ্ছপটা ঘুরে তাদের দিকে বিষাদমাখা
চোখে তাকিয়ে দেখল। "এই যে," সে বজ্র-গম্ভীর স্বরে বলে উঠল,
"আর তোমরা কারা?"
"আমরা হাঁস ভাই," তারা উত্তর দিল।

That autumn, a pair of young geese landed on the pond, where they saw the
tortoise talking to himself. "Hi Granddad!" they chorused.
The tortoise turned and looked at them with woeful eyes. "Hello," he rumbled
in his deep voice. "And who are you?"
"We are the Geese Brothers," they replied.

কিছু দিনের মধ্যেই তাদের তিনজনের মধ্যে ভাল বন্ধুত্ব হল এবং প্রায়ই তাদের একসাথে পুকুরে সাঁতার দিতে দেখা যেত।

Within a few days, the three became good friends and were often seen swimming together on the pond.

কিন্তু শীঘ্রই হাঁসদের ঘরে ফেরার সময় ঘনিয়ে এল আর তারা কচ্ছপকে বিদায় জানাতে গেল।
"তোমাদের সঙ্গে আমাকেও নিয়ে চল," কচ্ছপ মিনতি করে বলল।
"কিন্তু তুমি তো উড়তে পার না, দাদু!" অবাক হয়ে হাঁস দুটো বলল।
"আমার একটা বুদ্ধি আছে," কচ্ছপ ফিসফিস করে বলল।
"তোমরা দুজনে যদি এই কাঠ টুকরাটা ধরতে পার, আমি মুখ দিয়ে এতে ঝুলে থাকব। আর তোমরা যখন উড়তে থাকবে, তোমরা আমাকেও বয়ে নিয়ে যাবে!"
"কি চমৎকার বুদ্ধি," হাঁস ভাই দুইজন বলল।

But all too soon it was time for the geese to return home, and they came to say goodbye to the tortoise.
"Please take me with you," pleaded the tortoise.
"But you can't fly, Granddad!" replied the amazed geese.
"I have a cunning plan," whispered the tortoise. "If the two of you can hold this piece of wood, I shall hang onto it with my mouth. When you fly off, you will be carrying me too!"
"What a clever plan," said the Geese Brothers.

বিদায়ের দিন, সবাই জানতে পেরে অন্য
প্রাণীরাও জড়ো হয়েছে বিদায় জানাবার জন্য ।
তারা একটু দুঃখিত হয়েছে । আর যাই হোক,
কচ্ছপ তো সারাজীবন ওখানে বাস করেছে ।

On the day of departure, word had spread and all the animals gathered to say goodbye. They were a little bit sad. After all, the tortoise had lived there for EVER.

হাঁস দুই ভাই তাদের পা দিয়ে কাঠের টুকরাটা ধরেছে আর কচ্ছপ শক্ত করে মুখ দিয়ে ধরেছে। চোখের পলকে হাঁস ভাইরা আকাশে উড়তে শুরু করল। আর কচ্ছপ কাঠ থেকে ঝুলতে লাগল।অন্য প্রাণীরা এই অবাক দৃশ্য রুদ্ধশ্বাসে দেখতে লাগল!

The Geese Brothers held the piece of wood with their feet. The tortoise gripped it firmly in his mouth. With a whoosh the Geese Brothers flew up into the sky, with the tortoise dangling from the wood. The other animals gasped as they saw this amazing sight!

শীঘ্রই এই তিনজন গাছপালা সমৃদ্ধ সবুজ মাঠ, হ্রদে মৃদু বাতাসে ভেসে বেড়ানো নৌকা পেরিয়ে উড়ে যেতে লাগল। তারা গভীর জঙ্গল ও উঁচু পর্বতের উপর দিয়ে উড়ে যেতে লাগল। কচ্ছপ কোনদিন বিদেশে যায় নি তাই বিস্ময়ে তাকিয়ে রইল।
কত বড় আর বিচিত্র পৃথিবী আছে দেখার জন্য! সে বেশ আনন্দ বোধ করল যে তার পরিকল্পনাটা এত ভালভাবে কার্যকরী হয়েছে।

The trio were soon flying over green fields dotted with trees, and lakes where sailboats glided gently in the wind. They flew over dark forests and high mountains. The tortoise had never been abroad and he watched in amazement. What a large and wonderful world there was to see! He felt quite pleased that his little plan had worked so well.

কিছুক্ষণ পর তারা একটা বড় শহরের উপর দিয়ে উড়ে গেল। পার্কে খেলারত কিছু ছেলেমেয়ে মুখ তুলে দেখল আর রুদ্ধশ্বাসে বল, “মা, চেয়ে দেখ – একটা উড়ন্ত কচ্ছপ!”
“চুপ বাছারা ...” মা বলতে শুরু করলেন, এবং তারপর তিনিও উড়ন্ত কচ্ছপ দেখতে পেলেন। অবাক বিস্ময়ে তাঁরও মুখ হা হয়ে গেল।
শীঘ্রই অন্যরাও তাদের সঙ্গে যোগ দিল ও একটা জনতা জড়ো হয়ে গেল। সবাই আকাশের দিকে আঙ্গুল তুলে দেখাতে লাগল, হাততালি দিয়ে চীৎকার করতে লাগল।

After a while they flew over a large city.
Some children playing in a park looked up and gasped, “Look Mum – a flying tortoise!”
“Hush dear ...” the mother started to say, and then she too saw the flying tortoise and her jaw dropped.
Soon others joined them and a crowd gathered, all pointing to the sky, clapping and cheering.

কচ্ছপ নীচের দিকে হট্টগোল শুনতে পেল আর দেখতে পেল লোকজন তার দিকে আঙ্গুল তুলে দেখাচ্ছে। কচ্ছপ বিরক্ত বোধ করল। সে ভাবল তারা তাকে নিয়ে মজা করছে এবং তাই তাদের কিছু বলবে বলে সিদ্ধান্ত নিল।

The tortoise heard the hullabaloo down below and saw the people pointing their fingers in his direction. The tortoise felt annoyed. He thought they were making fun of him and so he decided to tell them what he thought.

কচ্ছপ মুখ খুলল ... তার
ধরা আলগা হল ... এবং
পড়ে গেল!!

The tortoise opened his mouth ...
lost his grip ... and fell!

“সাহায্য কর!” সে
চেঁচিয়ে উঠল, আর
দ্রুত শূণ্য থেকে নীচে
ছুটে পড়তে লাগল।

“Heelpp!” he screamed, as
he hurtled through the air.

কচ্ছপ পাতায় ঘেরা জঙ্গলের উপর সজোরে পড়ল
যেখানে একটা খরগোশ দুপুরের পর বিশ্রাম নিচ্ছিল ।
"তুমি আমাকে মেরে ফেলতে পারতে!" ভীত-সন্ত্রস্ত
খরগোশ চীৎকার করে উঠল ।
"**তোমাকে** মারবো? কি বলতে চাও তুমি...?" কচ্ছপ
চেঁচিয়ে উত্তর দিল ।
তারপর সে চুপ করল, আর ভাবল ...

The tortoise landed heavily on a large leafy bush where a hare
was having his afternoon siesta.
"You could have killed me!" screamed the startled hare.
"Killed you? What do you mean killed *you* ...?" the tortoise shouted back.
Then he stopped, and he thought ...

এরপর সে যখন মুখ খুলল সে নম্র স্বরে বল, "আমি দুঃখিত খরগোশ মশাই, কখনো কখনো আমি না ভেবেই কথা বলি আর সেজন্যই আমি তোমার উপর পড়ে গেছি।"

And when he next opened his mouth, he spoke softly, "I'm sorry Mr Hare, sometimes I talk without thinking and that's why I landed on you."

"কি হয়েছে?" খরগোশ জানতে
চাইল।
"সে এক লম্বা কাহিনী," কচ্ছপ বল্ল।
"কিন্তু তুমি যদি **সত্যিই** জানতে
চাও তা হলে আমি তোমাকে খুশী
হয়েই বলবো।"

"What happened?" asked the hare.
"Well, that's a long story," said the tortoise, "but if you *really*
want to know, I will be happy to tell you."

Tell your own Goose Fable!

The Goose that Laid the Golden Egg

The Tortoise and the Geese